Em memória de Pearle e George.

© 1994 por Aladdin Books Ltd, London
Título original em inglês: *Famous Children Leonardo da Vinci*
Tradução autorizada por Aladdin Books Ltd.
© 1994 por Callis Editora Ltda.
Todos os direitos reservados.
2ª edição, 2011
4ª reimpressão, 2023

Texto adequado às regras do novo Acordo Ortográfico da Língua Portuguesa

Coordenação editorial: Miriam Gabbai
Tradução e adaptação do original: Helena B. Gomes Klimes
Revisão: Ricardo N. Barreiros
Escaneamento e tratamento das imagens: Márcio Uva
Diagramação: Carlos Magno

CIP-BRASIL. CATALOGAÇÃO-NA-FONTE
SINDICATO NACIONAL DOS EDITORES DE LIVROS, RJ

H262L
2.ed.

Hart, Tony, 1925

    Leonardo da Vinci / Tony Hart e [ilustrações] Susan Hellard ; [tradução e adaptação do original Helena B. Gomes Klimes]. - 2.ed. - São Paulo : Callis Ed., 2011. il. color. - (Crianças famosas)

Tradução de: *Famous children Leonardo da Vinci*
ISBN 978-85-7416-456-4

    1. Leonardo, da Vinci, 1452-1519 - Infância e juventude - Literatura infantojuvenil. 2. Inventores - Itália - Biografia - Literatura infantojuvenil. 3. Artistas - Itália - Biografia - Literatura infantojuvenil. 4. Literatura infantojuvenil inglesa. I. Hellard, Susan. II. Klimes, Helena B. Gomes (Helena Botelho Gomes) III. Título. IV. Série.

09-5727.

CDD: 927.0945
CDU: 929:7.034(450)

04.11.09   12.11.09   016154

Índices para catálogo sistemático
1. Literatura infantil 028.5
2. Músicos: Literatura infantojuvenil 028.5

ISBN: 978-85-7416-456-4

Agradecimentos: The Royal Collection ©, Her Majesty the Queen Elizabeth II; Bridgeman Art Library; Giraudon/Nridgeman Art Library; Museu Britânico, Londres; Roger Vlitos; Scala, Florença.

A editora inglesa fez o possível para contactar os principais detentores de copyrights e pede desculpas por qualquer omissão que tenha feito inadvertidamente.

Impresso no Brasil

2023
Callis Editora Ltda.
Rua Oscar Freire, 379, 6º andar • 01426-001 • São Paulo • SP
Tel.: (11) 3068-5600 • Fax: (11) 3088-3133
www.callis.com.br • vendas@callis.com.br

Crianças Famosas

LEONARDO DA VINCI

Tony Hart e Susan Hellard

Tradução: Helena B. Gomes Klimes

callis

O senhor Antonio, avô de Leonardo, ficou tão orgulhoso no dia em que ele nasceu que escreveu em seu diário: "Sábado, 15 de abril de 1452, às 10h30m da noite, nasceu meu neto Leonardo, filho de Ser Piero, meu filho."

Leonardo nasceu na Itália, em uma casa nos arredores de Vinci.

Sua família passou a usar o nome da cidade como seu próprio nome de família.

Os pais de Leonardo não se casaram e, mesmo tendo sido cuidado e amamentado por sua mãe nos seus primeiros meses de vida, o menino foi morar com seus avós paternos, Antonio e Monna Lucia da Vinci.

— Como é bom ter um bebê em casa novamente! — suspirou Monna Lucia.

O pai de Leonardo, Ser Piero, era um advogado muito ocupado. Logo ele se casou e sempre estava fora de Vinci, pois tinha muitos trabalhos em Florença. Sua mãe morava perto e, mesmo depois que ela se casou e teve outros filhos, Leonardo podia visitá-la quando quisesse.

Francesco, o tio de Leonardo, cuidava dos negócios da família. Sempre que podia, levava Leonardo com ele para ver as oliveiras e as vinhas e aprender a amar a natureza.

Quando Leonardo tinha apenas quatro anos, ele e seu tio viram uma forte ventania que ia destruindo tudo por onde passava. Leonardo nunca se esqueceu daquela experiência, ficando fascinado pela meteorologia e pelo poder da natureza por toda sua vida.

Leonardo nasceu com dons maravilhosos. Sua mente estava sempre ocupada, pois ele se dispunha a aprender muitas coisas, nunca parando entre um assunto e outro.

Leonardo levava cadernos com ele para todo lugar que ia e sempre fazia anotações. Tinha um jeito curioso de escrever com a mão esquerda: ia da direita para a esquerda desenhando as letras de trás para frente.

O único modo de ler facilmente suas anotações era com a ajuda de um espelho!

Leonardo tinha uma educação muito fraca em Vinci, mas seus talentos eram óbvios para seus professores.

— Não posso te ensinar mais matemática, Leonardo — disse desconcertado seu professor —, já te ensinei tudo o que sei!

Ele teve aulas de música e aprendeu a tocar lira. Logo estava compondo suas próprias músicas.

— Nunca ouvi versos tão bonitos e um canto tão adorável! — disse seu professor de música.

Leonardo, além de escrever em seus cadernos, fazia desenhos maravilhosos para registrar seus pensamentos e observações enquanto perambulava pelos lindos campos italianos.

Um dia, o pai de Leonardo, Ser Piero, percebeu que seus desenhos eram especiais e levou alguns deles para mostrar a um amigo, Andrea del Verrocchio, que dirigia um famoso ateliê em Florença.

— Você não acha que seria bom que Leonardo estudasse desenho? — perguntou Ser Piero.

Verrocchio ficou muito impressionado com os desenhos de Leonardo e insistiu para Ser Piero trazer o filho ao ateliê.

— Florença parecerá muito grande e estranha para mim, que nunca saí do vilarejo — disse Leonardo —, mas mal posso esperar para conhecê-la!

Então, aos doze anos de idade, Leonardo foi morar com seu pai em Florença, em uma casa de onde se via os escritórios do governo em que Ser Piero trabalhava.

No ateliê de Verrocchio, Leonardo começou varrendo o chão e fazendo arrumações, mas logo passou a esticar telas, a fazer pincéis e a pintar.

Todos no ateliê aprendiam a desenhar com modelos vivos. Leonardo logo chamou a atenção de seu mestre: fez modelos em argila e cobriu as figuras com tecidos que tinham sido mergulhados em gesso, que depois endureciam.

— Agora posso ter dobras que irão durar. Poderei desenhá-las como elas realmente são — explicou.

— Mas que boa ideia — disse Verrocchio. — Precisamos aprender a desenhar o que vemos!

Se Leonardo visse o rosto de uma pessoa que quisesse desenhar, seguia aquela pessoa por todo o dia, até que memorizasse completamente seu rosto e, então, corria para casa desenhá-lo.

— Um artista deve ser como um espelho refletindo o que é colocado à sua frente — dizia Leonardo.

Leonardo adorava trabalhar no ateliê e achava Florença uma cidade maravilhosa para se viver.

No inverno de 1466, uma enchente inundou a cidade de Florença no meio da noite. Casas e igrejas eram invadidas pela água. Cavalos morriam afogados nos estábulos.

Logo a água parou, mas o estrago que fez era horrível de se ver. Mais uma vez Leonardo se lembrava do poder das forças da natureza.

Naquela época, uma epidemia de peste atingiu Florença. Lorenzo de Medici, o governador da cidade, achou que seria bom alegrar seu povo e organizou festas e brincadeiras. O ateliê de Verrocchio colaborou com muitas bandeiras e fantasias.

— Você pode desenhar um capacete para o duque de Milão, Leonardo? — perguntou Verrocchio.

Leonardo fez um lindo desenho para esse capacete.

Um dia, o pai de Leonardo estava em Vinci e um camponês pediu-lhe um favor:

— Fiz um escudo com o tronco de uma figueira. Quando o senhor retornar a Florença, poderia pedir a alguém que o pintasse para mim?

O camponês prometeu pagar em espécie, isto é, com peixe e caça, e Ser Piero concordou.

Quando viu o escudo, Leonardo disse:

— Não posso pintá-lo assim como está, tenho de melhorar sua forma e lustrá-lo primeiro.

Leonardo transformou o escudo em um lindo objeto. E então pensou cuidadosamente no desenho que iria pintar sobre ele.

"Inventarei minha própria criatura", pensou. "Devo fazer estudos sobre lagartos, cobras e morcegos e colocá-los juntos para desenhar um monstro aterrorizante."

Quando Ser Piero viu o escudo levou um belo susto, pois pensou que fosse um monstro de verdade.

— Bom! Consegui o que queria! — exclamou Leonardo. — O escudo assustou você. Agora pode levá-lo.

Verrocchio convidou Leonardo para ajudá-lo em uma grande pintura para o mosteiro de San Salvi. Ele pediu a Leonardo que pintasse o anjinho carregando o manto de Cristo.

Para alguém tão jovem, a pintura de Leonardo era excelente.

— Sua pintura é linda, Leonardo. Está melhor do que a minha. Nunca mais usarei as tintas — prometeu Verrocchio.

Para a alegria de Leonardo e de Ser Piero, Verrocchio fez de Leonardo seu sócio.

Leonardo adorava animais e, aos vinte anos de idade, tornou-se vegetariano. Ele comprava passarinhos só para poder soltá-los. Leonardo adorava estudar e desenhar pássaros em pleno voo. "Ah! Como gostaria de poder voar", pensava, então, desenhou máquinas voadoras, umas com asas que batiam como as de um pássaro e outras que pareciam helicópteros.

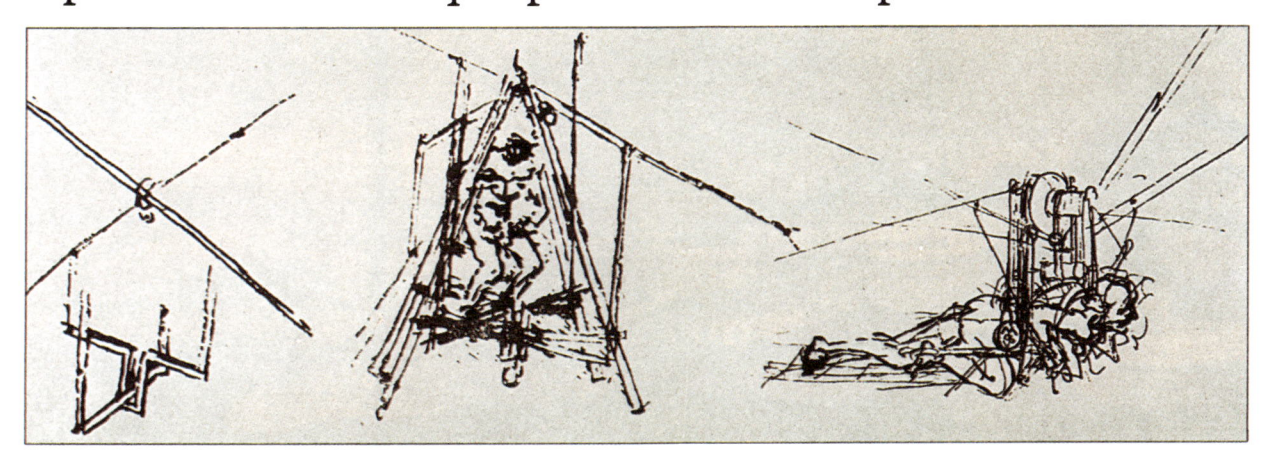

Leonardo era um grande inventor. Desenhou uma bicicleta trezentos anos antes que a primeira bicicleta fosse construída.

Um dia ele escreveu ao duque de Milão:

"Ilustríssimo lorde, inventei trinta e seis maneiras de melhorar sua estrutura militar..."

Uma dessas maneiras era um tanque de guerra.

O talento de Leonardo e suas façanhas eram tão impressionantes que algumas pessoas acreditavam que ele fosse um deus.

Leonardo morreu quando tinha 67 anos, nos braços do rei da França. Hoje, sua famosa *Mona Lisa* é a pintura mais preciosa do mundo.

Tony Hart nasceu na Inglaterra em 1925. O seu trabalho voltado para o ensino de artes para as crianças inspirou muitos artistas, ilustradores, designers e professores. Tony é conhecido também por ter apresentado inúmeros programas de TV.

Susan Hellard é uma hábil ilustradora com uma longa lista de livros para crianças. Mora em Londres e adora nadar. Possui um estilo de ilustração bem diversificado, abrangendo desde princesas até livros de receitas e projetos de cerâmica.